Iagan,
Cùis-eagail nan cuantan

Iagan, Cùis-eagail nan cuantan

megan Brewis

Haidh, is mise Iagan.

'S e iasg FÌOR eagalach a th' annam.

Tha an t-eagal aig èisg bheaga romham.

Agus tha an t-eagal aig èisg MHÒRA romham.

Tha eagal fiù 's aig èisg nach eil
nan èisg romham.

Tha an t-eagal air a H-UILE creutair mara.

Chan eil daoine càil nas fheàrr . . .

...tha iad air an clisgeadh!

Chan eil mi cinnteach carson a tha mi cho eagalach . . .

Chan eil mi cho mòr sin.

Mu 30cm

Chan eil m' fhiaclan ro dhona . . .

. . . a bheil?

Agus ged nach e iasg-aingil a th' annam . . .

'S iomadh iasg nas *eagalaiche* a chunnaic mise sa chuan seo.
Nach toir thu fhèin sùil . . .

Chan eil e furasta gaol a lorg.

Saoilidh tu gur e beatha aonranach
a th' aig creutair eagalach.

Ge-tà, cha do choinnich thu ri mo charaid
Seòras fhathast . . .

Bidh sinn a' dol dhan H–UILE ÀITE
còmhla.

Agus chan eil Seòras den bheachd
gu bheil mi eagalach!

AM PÌOS FÌOR

'S e àite cunnartach a
dh'fhaodadh a bhith anns
a' chuan do dh'èisg.
Tha tòrr chreachadairean
mun cuairt!

Bidh cuid de dh'èisg a' snàmh ann an
buidhnean mòra, air am bheil sgaothan.
Bheir seo a chreidsinn gu bheil iad
nas motha na tha iad ann an da-rìribh,
agus dìonaidh e iad bho èisg nas motha.

'S e iasg-iùil a
th' ann an lagan.

Tha èisg-iùil a' taghadh caraid
mòr eagalach airson an dìon!

Airson an dìon seo, bidh èisg-iùil a' cumail chearbain saor bho dhroch fhaoighichean.
'S e càirdeas aontachail a theirear ris a seo.
Bidh na cearbain fiù 's a' leigeil le èisg-iùil am fiaclan a ghlanadh!
(Chan eil èisg-iùil eagalach idir!!)

Do Jackson—M.B.

OXFORD
UNIVERSITY PRESS

Great Clarendon Street, Oxford OX2 6DP

Tha Oxford University Press mar roinn de dh'Oilthigh Oxford.
Tha e ag adhartachadh amas sàr-mhathais an Oilthigh ann an rannsachadh,
sgoilearachd agus foghlam le bhith a' foillseachadh air feadh an t-saoghail.

Tha Oxford na chomharra malairt clàraichte de Oxford University Press ann am Breatainn
agus ann an cuid de dhùthchannan eile.

© an teacsa agus nan dealbhan Megan Brewis, 2018

Tha còirichean moralta an ùghdair/neach-deilbh air an dleasadh
Còir stòr-dàta Oxford University Press (maker)

A' chiad fhoillseachadh sa Bheurla 2018

10 9 8 7 6 5 4 3 2 1

Chan fhaodar pàirt sam bith dhen leabhar seo ath-riochdachadh an cruth sam bith, a stòradh ann an siostam
a dh'fhaodar fhaighinn air ais, no a chur a-mach air dhòigh sam bith, eileagtronaigeach, meacanaigeach,
samhlachail, clàraichte no ann am modh sam bith eile gun chead ro-làimh bho Oxford University Press.
Bu chòir iarrtasan sam bith a thaobh mac-samhlachadh, a tha air taobh a-muigh an raoin ainmichte,
an cur gu Roinn nan Còirichean, Oxford University Press aig an t-seòladh gu h-àrd.
Cha bu chòir an leabhar seo a chuairteachadh ann an còmhdach no dreach sam bith eile.

A' chiad fhoillseachadh sa Ghàidhlig ann an 2019 le Acair
An Tosgan, Rathad Shìophoirt, Steòrnabhagh, Eilean Leòdhais HS1 2SD
info@acairbooks.com   www.acairbooks.com
© an teacsa Ghàidhlig Acair, 2019

An tionndadh Gàidhlig le Mòrag Stùibhart
An dealbhachadh sa Ghàidhlig le Mairead Anna NicLeòid

Tha Acair a' faighinn taic bho Bhòrd na Gàidhlig.
Gheibhear clàr catalog CIP airson an leabhair seo ann an Leabharlann Bhreatainn.

Clò-bhuailte ann an Sìona

LAGE/ISBN: 978-1-78907-035-4

B' e pàipear nàdarrach, ath-chuartachaidh bho fhiodh a chaidh fhàs ann an coilltean
seasmhach a chaidh a chleachdadh anns an leabhar seo.

Tha an dòigh san deach an leabhar ullachadh
a rèir riaghailtean àrainneachdail na dùthcha.

Riaghladair Carthannas na h-Alba
Carthannas Clàraichte/
Registered Charity SC047866